Mes Contes d'Orient

Textes de Irena Aubert :

Piccolia

Les deux fées du ciel

Il était une fois deux fées célestes qui tissaient des nuages pour l'empereur du Ciel. Elles vivaient dans un merveilleux palais mais n'étaient pas heureuses pour autant. En réalité, elles s'ennuyaient à mourir. Tous les nuages se ressemblaient, tous aussi moutonneux... Un jour, la fée aînée dit à sa petite sœur :
« J'ai un secret à t'avouer : j'adore regarder la Terre en bas. Il s'y passe tant de choses intéressantes !
- Comme je suis soulagée de te l'entendre dire, chuchota la fée cadette. Parfois, à travers les nuages, j'aperçois des montagnes enneigées et des rivières qui serpentent. Moi aussi, j'en rêve depuis longtemps. Quittons ce palais où on s'ennuie tant ! Sauvons-nous sur Terre ! »
Les deux fées se faufilèrent parmi les gardes endormis jusqu'à la porte du Sud qui conduisait à la Terre.
« Nous avons réussi ! s'écria la fée cadette en posant par terre ses petits pieds.
- Voici ce que nous allons faire, proposa la fée aînée. Va vers le sud et moi, j'irai vers le nord. Lorsque nous aurons rencontré une personne malheureuse, nous resterons pour l'aider. »
Et c'est précisément ce qui arriva. Les fées se séparèrent, puis rencontrèrent deux vieilles femmes seules au monde et restèrent avec elles. Comme elles étaient heureuses de vivre ici ! Mais rien n'est éternel, hélas. Après cent ans passés sur la Terre – ce qui faisait à peine sept jours au Ciel – l'empereur commença à chercher les deux jeunes fées. Il n'y avait plus de nuages dans le ciel !
« Majesté ! s'écria un serviteur. La porte du Sud est ouverte. Elles sont sans doute descendues sur la Terre.
- Ramenez-les sur-le-champ ! ordonna l'empereur. Sinon, j'enverrai une grande sécheresse sur toute la Terre !
Les deux fées obéirent et, la tête baissée, elles reprirent le chemin du Ciel. Mais avant de traverser à nouveau la porte du Sud, elles jetèrent sur la Terre deux miroirs.
« Ainsi, nous verrons toujours le reflet de la vie là-bas », soupirèrent-elles.
En effet, ces deux miroirs se transformèrent en deux magnifiques lacs dans lesquels se reflétaient des montagnes enneigées, des forêts et des hommes.

Issunboshi

Il était une fois un grand-père et une grand-mère qui se sentaient très seuls car ils n'avaient pas d'enfants. Aussi, ils priaient les dieux de leur en offrir un, même un tout minuscule. Et, un jour, leur vœu fut exaucé : un tout petit garçon apparut devant eux ! Comme il n'était pas plus grand qu'un doigt de la main, ils l'appelèrent Issunboshi, ce qui veut dire « tout petit ». À cause de sa taille, Issunboshi ne pouvait pas aider le grand-père aux champs, ni la grand-mère à la maison. Les enfants du village n'arrêtaient pas de se moquer de lui.
Un beau matin, Issunboshi annonça au grand-père et à la grand-mère :
« J'ai décidé de partir à la capitale pour trouver du travail. Ici, je ne vous sers à rien. »
Les deux vieillards avaient le cœur gros mais ils répondirent :
« Prends ce bol, cette baguette et cette fine aiguille. Et, surtout, sois prudent ! »
Issunboshi mit le bol sur sa tête pour se protéger. L'aiguille lui servait de sabre et la baguette de canne pour marcher. La route vers la capitale fut longue et dangereuse pour un si petit bonhomme. Mais Issunboshi était très courageux et réussit son expédition. Un jour, il se présenta devant le palais d'un puissant seigneur, et passa du temps avec la princesse. Ils se promenaient, faisaient de la calligraphie et lisaient des livres dans le jardin du palais. En même temps, Issunboshi s'entraînait à manier son petit sabre comme un vrai guerrier.
Un jour, alors que la princesse et son petit compagnon revenaient du temple Kiyomizu, un bandit les attaqua.

« Gare à toi, bandit ! cria Issunboshi en prenant une grosse voix.
- C'est toi qui me menaces, petite fourmi ? » s'esclaffa le bandit.
À cet instant, Issunboshi, plein de courage, sauta sur le méchant et se mit à le piquer de toutes ses forces avec son aiguille.
« Aïe, aïe ! » hurla le bandit en courant. Dans sa fuite, il laissa tomber un objet.
« C'est un maillet magique, expliqua la princesse. Si tu le secoues en prononçant un vœu, celui-ci sera aussitôt exaucé.
- Je souhaite devenir grand ! » dit Issunboshi en secouant le maillet.
Le petit Issunboshi devint alors un beau et grand jeune homme. En apprenant sa bravoure, le seigneur lui donna la main de la princesse. Leur mariage fut magnifique, pour la plus grande joie des grands-parents.

Pourquoi le chant de la grue est triste

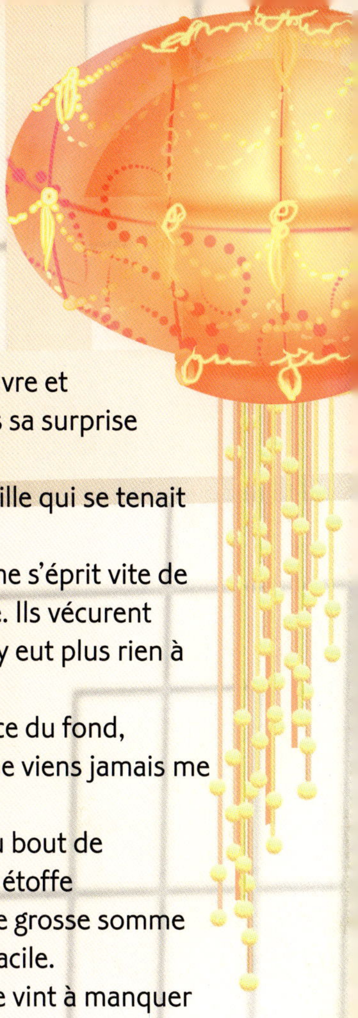

Il était une fois un jeune homme qui vivait seul dans une petite maison à l'orée de la forêt. Cette année-là, l'hiver était rude et la neige recouvrait la campagne. Un soir, en rentrant chez lui, le jeune homme entendit des plaintes : une grue gisait sur la neige, blessée par une flèche. Le jeune homme avait bon cœur. Il soigna l'oiseau avec précaution, puis le laissa s'envoler dans le ciel.

La vie reprit son cours et elle n'était pas facile pour le jeune homme, car il était très pauvre et personne ne venait jamais le voir. Quelle ne fut donc pas sa surprise quand, à la nuit tombée, quelqu'un frappa à sa porte.

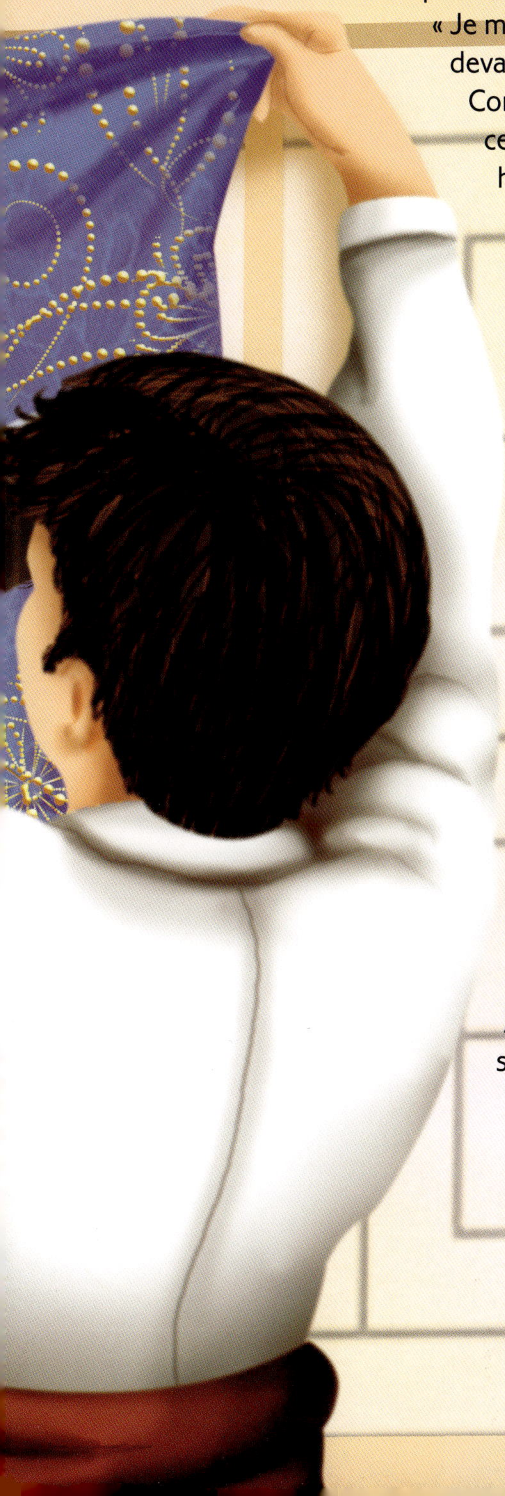

« Je me suis perdue dans la nuit », dit la belle jeune fille qui se tenait devant lui.

Comme elle était douce et gentille, le jeune homme s'éprit vite de cette fille mystérieuse et la demanda en mariage. Ils vécurent heureux tous les deux. Seulement, un jour, il n'y eut plus rien à manger à la maison.

« Installe un métier à tisser dans la petite pièce du fond, demanda la femme. Mais, quoi qu'il arrive, ne viens jamais me voir travailler. »

La jeune femme travailla sans relâche et, au bout de plusieurs jours, elle montra à son mari une étoffe absolument splendide. Il la vendit pour une grosse somme d'argent et leur vie devint beaucoup plus facile.

Cependant, une nouvelle fois, la nourriture vint à manquer et la jeune femme se remit au travail. Mais, à chaque fois, elle maigrissait et devenait de plus en plus pâle. Malgré tout, le jeune homme désirait gagner de plus en plus d'argent en demandant à sa femme toujours plus d'étoffes.

Curieux de connaître son secret, le mari décida un jour de surprendre sa femme au travail. Mais lorsqu'il ouvrit la porte de la petite pièce, il vit... une grue ! L'oiseau arrachait ses propres plumes pour en faire des tissus.

« Je suis la grue que tu avais sauvée, expliqua sa femme, une fois transformée. Je voulais te venir en aide mais tu n'as pas respecté ta promesse. Tu es aussi devenu cupide. Je ne veux plus rester avec toi. »

À cet instant, la femme reprit l'apparence de la grue, puis s'envola vers le ciel devant le jeune homme accablé.

Le dragon bleu et le dragon jaune

Un grand empereur décida un jour d'orner la salle du trône du plus beau des paravents. Il convoqua dans son palais le peintre le plus célèbre de tout l'empire qui vivait dans une caverne, loin de la ville. L'empereur lui ordonna de peindre deux dragons sur son paravent : un bleu et un jaune, symboles de la puissance et de la paix qui régnaient dans son empire.

« Oh, mon empereur, s'inclina le peintre, pour que ce paravent soit digne de vous, j'aurai besoin d'un grand morceau de soie noire d'une finesse inégalée. En attendant que le tissu soit prêt, je ferai des essais, dans ma caverne, pour peindre les dragons du mieux possible. »
Le peintre se retira. L'empereur, lui, donna l'ordre de fabriquer la soie la plus fine qui ait jamais existé. Il fallut faire appel à des milliers d'artisans du monde entier. Après plusieurs années, la soie était enfin tissée. Jamais de mémoire d'homme on n'avait vu de tissu plus ravissant. Impatient, l'empereur envoya un messager pour prévenir le peintre mais, à sa grande surprise, l'artiste répondit qu'il n'était pas encore prêt. Le temps passait et l'empereur devenait de plus en plus pressé de voir les deux dragons sur la soie noire du paravent. Le peintre, lui, restait enfermé dans sa caverne sans donner de nouvelles. Un jour, à bout de patience, l'empereur envoya un messager pour ramener l'artiste au palais, de gré ou de force.
« Je pense que je suis enfin capable de peindre les dragons », déclara le peintre devant l'empereur.
Vite, on apporta le paravent, de la peinture jaune et bleue et deux longs pinceaux. Toute la cour retint son souffle. Soudain, l'artiste traça d'un seul geste un long trait jaune, puis d'un autre geste un long trait bleu. Ensuite, il posa les pinceaux en disant qu'il avait terminé son travail.
« C'est ça l'œuvre la plus belle du monde ?! hurla l'empereur. Qu'on jette en prison cet imposteur ! »
La nuit suivante, l'empereur n'arrivait pas à dormir. Les deux traits bleu et jaune volaient devant ses yeux. Ils semblaient lutter, rapides et puissants, comme s'ils étaient vivants. Et si la peinture sur le paravent était réellement un chef-d'œuvre ? Il décida de se rendre dans la caverne du peintre pour comprendre ce mystère. Il découvrit alors les premiers dragons peints sur les parois avec une grande précision. Partout dans la caverne des esquisses se succédaient. À chaque nouvel essai, le peintre simplifiait le dessin des dragons tout en les rendant pourtant de plus en plus expressifs. Enfin, l'empereur reconnut les deux dragons peints sur le paravent, ceux qui représentaient le plus de force et de vie.
« Qu'on libère l'artiste sur-le-champ ! cria l'empereur, ému. Il a tenu sa promesse.
Mon paravent est un chef-d'œuvre ! »

La légende du riz

Il y a fort longtemps, quand la Terre était plus jeune, tout était différent. Les arbres donnaient des fruits énormes et les récoltes étaient d'une abondance à peine imaginable. Un seul grain de riz suffisait pour nourrir un homme. En ces jours anciens, les gens n'avaient guère besoin de travailler dur pour cueillir le riz car, une fois mûrs, les grains tombaient tout seuls des tiges et roulaient jusqu'aux villages pour s'arrêter dans les greniers.

Une année, le riz poussa encore plus gros que d'habitude. Une veuve dit alors à sa fille :

« Nos greniers sont bien trop petits pour garder ces immenses grains. Il faut les démolir et en construire de plus grands. »

Mais les hommes n'avaient pas l'habitude de travailler. Ils passaient leur temps au Soleil. Aussi, lorsque le riz était déjà mûr dans les champs, les nouveaux greniers n'étaient toujours pas prêts. Les grains commencèrent à rouler vers le village, comme chaque année, en direction des paysans effarés.

« Vous ne pouviez pas attendre dans les champs que nous soyons prêts ? hurla la veuve en colère tout en frappant un gros grain de riz. Ne nous dérangez pas ! Vous n'êtes pas encore attendus. »

Vexé, le grain de riz se bisa en mille petits morceaux, puis dit :

« Puisque nous ne sommes pas les bienvenus, on ne roulera plus vers vos greniers. À partir d'aujourd'hui, nous vous attendrons dans les champs ! »

C'est ainsi que les grains de riz devinrent tout petits et que les villageois furent obligés de les cueillir dans les champs en travaillant à la sueur de leur front pour avoir de quoi manger.

Urashimataro

Il était une fois un jeune homme, prénommé Urashimataro, qui vivait avec sa mère dans un petit village au bord de la mer. Tous les jours, il partait pêcher pour survivre. Un soir, Urashimataro remarqua un groupe d'enfants qui maltraitaient une tortue. Le jeune homme sauva la pauvre bête et la relâcha dans la mer. Quelques jours plus tard, Urashimataro vit une grosse tortue apparaître près de sa barque. Elle lui dit :

« Tu as sauvé une tortue qui nous est très chère. Pour te remercier, nous t'invitons au Royaume de la mer. Monte sur mon dos et n'aie aucune crainte ! »

Accroché à la carapace de la tortue, Urashimataro découvrit le monde merveilleux des profondeurs de la mer. Ils arrivèrent bientôt devant le plus beau des palais où une ravissante princesse l'accueillit.

« C'est moi la tortue que tu as sauvée, dit la princesse. J'avais envie de voir la terre ferme et, pour cela, je m'étais transformée en tortue. Reste avec nous, tu vivras heureux dans notre palais. »

Trois années s'écoulèrent ainsi, comme dans un rêve. Urashimataro oublia son village et sa mère. Mais, un jour, le jeune homme aperçut à nouveau le monde au-dessus de la surface et fut pris de nostalgie.

« Rentre chez toi, lui dit la princesse attristée. Je te donne ce coffret. Ouvre-le si tu es dans le besoin. »

Mais, une fois dans son village natal, Urashimataro eut un étrange pressentiment : rien n'y était comme avant. Même sa maison n'existait plus. Soudain, il croisa un vieillard.

« Tu dis que tu t'appelles Urashimataro ? Mais, c'est le nom du jeune garçon disparu en mer il y a trois cents ans ! On raconte encore cette légende dans le village. »

Urashimataro comprit que trois années passées au Royaume de la mer correspondaient à trois cents ans sur la terre. Sa mère était donc morte depuis très longtemps. Il était si triste qu'il ouvrit le coffret de la princesse. Soudain, Urashimataro se transforma en oiseau, une grue dont on dit qu'elle vit mille ans. La grue s'élança dans le ciel en survolant la mer. Elle partit à la rencontre de la tortue, son amie.

« Longue vie à la grue et à la tortue ! » s'écrièrent les villageois en apercevant de loin les deux animaux.

Le sage et l'enfant

Un sage roulait dans un carrosse lorsque son buffle s'arrêta brusquement.
« Hé ! Petit garçon ! cria le sage. Laisse-nous passer !
- Ce n'est pas moi qui vous gêne, répondit l'enfant avec calme. C'est la ville que je construis. Les maisons ne s'écartent pas devant les carrosses ! »
Surpris par cette réponse rusée, le sage s'approcha du garçon.
« Tu as l'air très malin, dit le sage. Mais sais-tu, par exemple, quel feu ne donne pas de fumée ?
- C'est le feu d'un ver luisant qui ne donne pas de fumée. »
Le sage était émerveillé. Le petit garçon lui demanda :
« Puis-je vous poser une question, moi aussi ? Mais promettez-moi que si jamais vous ne trouvez pas la réponse, votre carrosse contournera ma ville.
- Promis ! dit le sage en souriant.
- Combien d'étoiles y a-t-il dans le ciel ?
- Eh... tu sais bien que personne ne peut répondre, dit le sage. Pose-moi une question plus à ma portée.
- D'accord, dit l'enfant. J'ai une question tout à fait à votre portée : combien de poils y a-t-il dans votre barbe ? »
Le sage se mit à rire en s'inclinant avec respect devant l'enfant.
Il remonta dans son carrosse et contourna avec précaution la petite ville en bois.

Le tigre et le crapaud

Un jour, un tigre tomba dans une fosse. Incapable d'en sortir seul, il rugit de colère et de frustration. Un paysan qui passait par là l'entendit.
« Mets un tronc d'arbre dans la fosse et j'arriverai à m'en sortir ! cria le tigre quand il aperçut le paysan. Je te promets de ne pas te faire de mal ! »
Un peu hésitant, le paysan s'exécuta et aida le tigre à sortir de la fosse.
« Stupide homme ! Comment as-tu pu me croire ? gronda le tigre en s'avançant vers le pauvre paysan. Cette petite aventure m'a ouvert l'appétit...
- Mais je t'ai sauvé ! » protesta le paysan paniqué.
Soudain, ils entendirent une voix rauque et très fâchée.
« Quel vacarme vous faites ! Mais que vous arrive-t-il ? »
L'air mécontent, un crapaud observait de loin le tigre et le paysan.
« C'est à cause du tigre, expliqua le paysan. Je lui ai sauvé la vie et pourtant il veut me dévorer.
- C'est en effet très injuste, réfléchit le crapaud. Tigre, raconte-moi ta version ! »
Le tigre était pressé de se débarrasser de cet intrus agaçant, inaccessible pour ses crocs.
« Eh bien, j'étais là-dedans, dit-il en désignant la fosse.
- Là-dedans ? s'étonna le crapaud. Mais je ne comprends pas très bien. Je dois être un peu bête. Peux-tu me montrer ? »
De plus en plus impatient, le tigre sauta dans la fosse.
« Oui mais le tronc d'arbre n'était pas encore là ! s'écria l'homme qui se précipita pour le retirer.
- Je vois... dit le crapaud. Eh bien, je propose que nous laissions les choses comme elles étaient au tout début... »
Puis, le crapaud s'adressa au paysan :
« Continue ta route et tâche de réfléchir avant d'agir la prochaine fois ! »
Le paysan ne se le fit pas dire deux fois et s'éloigna en toute hâte, tandis que le tigre, furieux, rugissait de colère. Impassible, le crapaud attendit qu'il se calme un peu, puis il lui dit :
« Une promesse est une promesse ! À l'avenir, tu apprendras à les tenir ! »

Le rêve de Tao

Dans un petit village, près de la ville de Nankin, vivait un jeune homme très pauvre nommé Tao. Il était de nature très généreuse, toujours prêt à aider quelqu'un dans le besoin, alors que lui-même manquait de tout. Un jour de grande chaleur, Tao s'endormit à l'ombre d'un arbre. Soudain, il crut voir un inconnu tout de gris vêtu.

« Réveille-toi, Tao ! lui dit-il. La reine veut te voir.

- Je ne connais aucune reine, répondit Tao, surpris.

- Mais la reine, elle, te connaît très bien, insista l'homme en gris. C'est bien toi qui ne refuse jamais son aide à personne ? Alors, suis-moi ! C'est très urgent ! »

Tao marcha durant des heures derrière le mystérieux messager. Curieusement, il ne sentait aucune fatigue. Enfin, ils arrivèrent devant une ville immense que le jeune homme ne connaissait pas, bien que ses maisons lui parussent familières. Ils entrèrent en silence dans la plus grande des maisons, qui brillait comme l'or et qui sentait bon. Une femme très belle se tenait devant eux.

« Tao, mon royaume est en danger et toi seul peux nous sauver, dit-elle d'une voix majestueuse.

- J'en serai honoré, balbutia Tao, sans réfléchir.

- Voici ma fille », dit la reine en désignant une jeune princesse d'une beauté resplendissante.

À ce moment-là, Tao sentit son cœur s'emballer comme un cheval fou. Mais il n'eut pas le temps de parler à la princesse. Une servante accourut tout à coup en criant :

« Le monstre arrive !

- Voilà pourquoi notre royaume est en danger. Pars avec ma fille loin d'ici. Vous devez reconstruire une nouvelle capitale. C'est ta mission, Tao ! »

Sans hésiter, Tao attrapa la main de la princesse, puis ils quittèrent la ville en courant. Enfin, à bout de souffle, ils s'arrêtèrent dans le village de Tao.

« Je m'appelle Fleur de Lotus, dit la jeune fille. À quel endroit allons-nous construire la nouvelle ville ?

- Une ville ? bredouilla Tao qui réalisa enfin quelle mission difficile lui incombait. Mais je ne suis qu'un pauvre paysan !

- Pourtant, c'est bien toi qui aide chaque personne malheureuse », dit la princesse en pleurant.

Tao s'apprêtait à consoler la jeune fille lorsque, soudain... il se réveilla. Encore bouleversé par son rêve, Tao aperçut un essaim d'abeilles qui semblait perdu.

« Pauvres abeilles ! se dit Tao. Elles ont besoin d'une ruche. Je vais vite la construire. »

Une fois les abeilles à l'abri, Tao partit se promener dans le village. Derrière une maison, il découvrit une ruche abandonnée. Un affreux serpent était à l'intérieur.

Le jeune homme comprit enfin le sens de son rêve : c'était la reine des abeilles qui avait besoin de son aide face à ce serpent. Depuis, Tao fabriqua d'autres ruches où plein d'abeilles s'installèrent pour lui donner beaucoup de miel.

La légende de Mulan

Mulan coiffait ses longs cheveux de jais avec un très grand soin. D'habitude, elle ne faisait pas du tout attention à son apparence et sa mère devait tous les soirs enlever des brindilles et des feuilles emmêlées dans ses cheveux. Car elle adorait monter à cheval, s'entraîner au combat et tirer des flèches, bien mieux que la plupart des garçons du village. Ce soir-là, elle caressait sa chevelure soyeuse, comme si c'était pour la toute dernière fois. Son père, un vieil officier courbé par l'âge, venait d'apprendre qu'une guerre cruelle menaçait le pays. L'empereur Taiwudi ordonna à chaque famille d'envoyer un homme pour se battre dans l'armée du Royaume des Wei. Seulement, le père de Mulan était bien trop âgé pour guerroyer, et son petit frère bien trop jeune. Mulan n'hésita pas un instant : elle décida de se déguiser en homme pour partir à la guerre. Son armure était déjà prête, lourde mais résistante. Ses armes et son cheval l'attendaient. Il ne restait à la jeune fille qu'une seule chose à faire : se couper les cheveux. Ce soir-là, elle faisait ses adieux à son ancienne vie, une vie insouciante de jeune fille aimée par sa famille. Des mèches épaisses tombaient, une à une, sur le sol. Mais Mulan ne pleurait pas. Désormais, elle ne pourra plus jamais montrer le moindre signe de faiblesse et il faudra qu'elle parle le moins possible pour ne pas être trahie par sa douce voix.

Enfin prête, Mulan sortit discrètement devant la maison. Ses parents et son petit frère s'y tenaient ensemble, le cœur lourd de chagrin.

« Je vous reviendrai ! leur dit Mulan en partant. Je le jure ! »

La guerre dura douze longues années et Mulan se distingua des autres soldats par un courage sans faille. Elle était un fin stratège et très vite ses supérieurs commencèrent à apprécier sa grande intelligence. Elle fut même nommée général et jamais personne ne se rendit compte qu'elle était une femme. Quand la paix régna enfin sur le pays, Mulan rentra chez elle, comme elle l'avait promis, heureuse de retrouver sa famille.

La rose bleue

Il était une fois une belle princesse qui possédait toutes les qualités dont on pouvait rêver : elle était ravissante et vive d'esprit, douce et gracieuse. Son père, le roi, était fier de sa fille et ne lui refusait rien. Cependant, la princesse avait un défaut : tout autour d'elle devait être parfait. Et lorsqu'elle dut choisir son futur époux, personne ne trouva grâce à ses yeux. Un jour, lasse de tous ces prétendants, la princesse déclara :

« J'épouserai celui qui m'offrira une rose bleue !

- Mais les roses bleues n'existent pas, s'offusqua son père.

- Voici ma condition », insista la princesse.

De très nombreux jeunes hommes partirent à la recherche d'une rose bleue. En vain ! Seuls trois prétendants cherchaient encore. L'un d'eux s'adressa à un fleuriste célèbre :

« Si je n'obtiens pas cette rose bleue, je te tuerai », menaça-t-il.

Paniqué, le fleuriste trouva un subterfuge : il plongea une rose blanche dans un liquide bleu pour la teindre. Le marchand se précipita devant le roi et la princesse, sa rose bleue à la main. Tout à coup, un papillon se posa sur la rose et mourut aussitôt.

« Quelle tricherie ! s'écria la princesse. Cette rose a été colorée et sa teinture est un poison ! »

Le deuxième prétendant connaissait une région célèbre pour ses pierres précieuses. Il trouva là-bas un gros saphir d'un bleu exceptionnel, puis demanda à un joaillier de sculpter une rose.

« Cette fois-ci, dit le roi à sa fille, tu dois tenir ta promesse. Nous allons préparer le mariage.

- Ce n'est pas une vraie fleur mais juste une pierre taillée ! » protesta la princesse.

Le dernier prétendant offrit à la princesse un tableau représentant une superbe rose bleue.

« Mais je veux une vraie rose et non un tableau ! » dit la princesse à nouveau.

Un soir d'été, alors qu'elle se promenait dans les jardins du palais, la princesse entendit chanter un jeune poète. Ses chansons étaient si belles que la princesse tomba amoureuse de lui.

« Épouse-moi, lui dit le poète tout aussi ému.

- Hélas ! soupira la princesse. J'ai fait une promesse à mon père. »

Puis, elle raconta au poète son histoire.

« Mais il y a partout des roses bleues ! » s'écria-t-il joyeusement.

Le lendemain, le poète se présenta devant le roi avec une belle rose couleur crème à la main.

« Voilà, ma fille, dit le roi désespéré, un poète qui prétend t'apporter une rose bleue.

- Mais elle est merveilleuse, cette rose bleue ! s'écria la princesse devant le roi et toute la cour stupéfaits. Je vous assure, elle est d'un bleu magnifique. »

Et c'est ainsi que la princesse épousa le jeune poète.